Saiba como encontrar equilíbrio

Controle o estresse

Saiba como encontrar equilíbrio

Esta é uma publicação Principis, selo exclusivo da Ciranda Cultural

Texto
© Augusto Cury

Editora
Michele de Souza Barbosa

Revisão
Fernanda R. Braga Simon

Diagramação
Linea Editora

Produção editorial
Ciranda Cultural

Design de capa
Ana Dobón

Imagens
Andrei Baskevich/shutterstock.com

Dados Internacionais de Catalogação na Publicação (CIP) de acordo com ISBD

C982c Cury, Augusto

Controle o estresse: saiba como encontrar equilíbrio / Augusto Cury. - Jandira, SP : Principis, 2021.
64 p. ; 15,50cm x 22,60cm. (Augusto Cury)

ISBN: 978-65-5552-689-9

1. Autoajuda. 2. Desenvolvimento. 3. Psicologia. 4. Autonomia. 5. Autoconhecimento. I. Título.

2021-0286

CDD 158.1
CDU 159.92

Elaborado por Lucio Feitosa - CRB-8/8803

Índice para catálogo sistemático:
1. Autoajuda : 158.1
2. Autoajuda : 159.92

1ª edição em 2021
www.cirandacultural.com.br

Dedico este livro a alguém especial.

Que você capacite seu Eu para ser autor
de sua história e gerenciar sua mente.

Se treinar, não tenha medo de falhar.
E, se falhar, não tenha medo de chorar.

E, se chorar, corrija suas rotas, mas não desista.

Dê sempre uma nova chance para si e
para quem ama. Só adquire maturidade
quem usa suas frustrações para alcançá-la.

Sumário

Capítulo 1

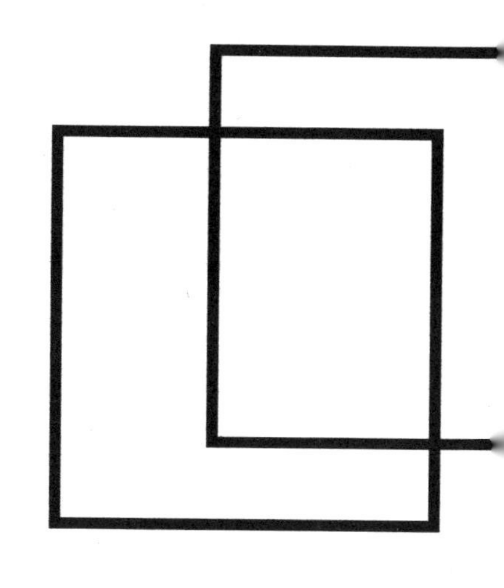

Gatilho da memória e *autofluxo*: copilotos da aeronave mental

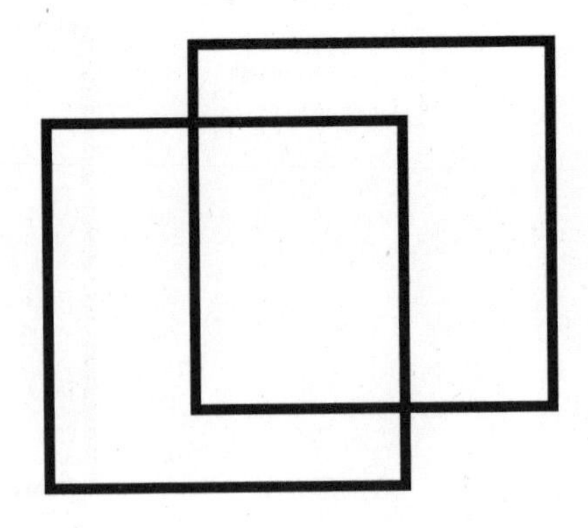

Gatilho da memória: a fonte da interpretação inicial

O Eu, que representa a capacidade de escolha, não está sozinho em sua magistral tarefa de construir experiências psíquicas. O *gatilho da memória* e o *autofluxo* são dois fenômenos inconscientes que leem a memória e constroem cadeias de pensamento. Usando a metáfora da aeronave, esses dois fenômenos são importantíssimos copilotos da aeronave mental.

O *gatilho* é acionado em milésimos de segundo por um estímulo extrapsíquico (imagens; sons; sensações táteis, gustativas, olfativas) ou intrapsíquico (imagens mentais, pensamentos, fantasias, desejos, emoções) e abre *janelas da memória*, ativando a interpretação imediata. Todos os dias, milhares de imagens que vemos são interpretadas rapidamente pelo acionamento do *gatilho da memória* e pelas consequentes aberturas das janelas.

Esse processo ocorre sem a intervenção do Eu. Portanto, as primeiras impressões e interpretações do mundo são inconscientes.

Se por um lado o *gatilho da memória* é um grande auxiliar do Eu, por outro pode causar grandes desastres.

Diariamente, também, milhares de palavras escritas ou faladas são identificadas não pelo Eu, mas pelo pacto do *gatilho*, abrindo múltiplas *janelas da memória*. Por isso, esse fenômeno também é chamado *autochecagem da memória*.

Se dependesse do Eu encontrar cada janela a partir dos estímulos com que temos contato, não teríamos uma resposta interpretativa inicial tão rápida, não seríamos a espécie pensante que somos. A ação do *gatilho da memória* é fenomenal.

Ele checa os estímulos a partir de bilhões de dados na memória com uma rapidez surpreendente. Você ouve uma palavra e imediatamente tem o significado dela, se já a havia assimilado previamente. Assim, temos consciência instantânea dos estímulos exteriores. Sem esse fenômeno, o Eu ficaria confuso e não identificaria a linguagem, o rosto das pessoas, os sons do ambiente, a imagem da residência, do carro, do celular.

Um inimigo que mora em casa

Se por um lado o *gatilho da memória* é um grande auxiliar do Eu, por outro pode causar grandes desastres. Quando abre janelas erradas ou doentias, leva a interpretações superficiais ou preconceituosas, fobias, aversões ou, no caso das drogas, a uma atração fatal. Portanto, o *gatilho da memória*, que é um copiloto ou ator coadjuvante do Eu, pode também escravizá-lo.

Quem tem claustrofobia, medo de lugares fechados, sabe muito bem disso. Quem tem a síndrome do pânico, embora não conheça o pacto entre o *gatilho* e as janelas doentias da memória, sabe como ela é cruel, embora sem dúvida possa ser superada.

Quando um pensamento perturbador, um aperto no peito, palavras ou imagens abrem arquivos doentios, o Eu entra numa armadilha psíquica para a qual não se havia programado, o que bloqueia sua lucidez e sua coerência. Se não souber pilotar a aeronave mental nessas situações, ele ficará dominado ou paralisado.

Certa vez, um aluno brilhante foi mal numa prova e registrou um trauma ou *janela killer*. Ele havia estudado, sabia a matéria, mas ficou tenso, desenvolveu a *síndrome do circuito fechado da memória* e não conseguiu recordar as informações. Ficou abalado e registrou essa frustração. Estudou mais ainda para a próxima prova. Quando chegou o dia, o *gatilho da memória* entrou em cena e abriu a *janela killer*, que tinha o arquivo do medo de falhar e novamente fechou o circuito da memória.

O resultado? Não conseguiu abrir os demais arquivos que continham as informações que estudara. Teve uma ansiedade intensa e um péssimo rendimento intelectual. Toda vez que ia fazer uma prova, ocorria o mesmo drama. Perdera a confiança em si. Foi erroneamente considerado relapso, irresponsável, deficiente. Infelizmente, dezenas de milhares de alunos que poderiam brilhar no teatro social são excluídos porque não sabem controlar seu estresse, não sabem romper o cárcere das *janelas killer*.

Uma das minhas súplicas à educação mundial é que professores, psicopedagogos e psicólogos conheçam a última fronteira da ciência: o processo de construção de pensamentos e as armadilhas que ele contém. Mas são fenômenos novos raramente

Milhares de palavras escritas ou faladas são identificadas não pelo Eu, mas pelo pacto do *gatilho*, abrindo múltiplas *janelas da memória*.

conhecidos. Esses profissionais nem sequer ouviram falar que o *Homo sapiens* vivencia a *síndrome do circuito fechado da memória*, que o faz reagir por instinto, como se estivesse numa grave situação de risco.

Nesse momento, o Eu, que representa a capacidade de decidir ou escolher, não tem acesso a milhões de informações para dar respostas inteligentes quando está diante das provas, das perdas, dos desafios, das crises e dos percalços da vida.

E você, como controla seu estresse quando o mundo desaba sobre sua cabeça? Seu Eu reage por instinto, agride quem o agrediu, ou se recolhe dentro de si, critica o circuito fechado da memória e recupera sua liderança?

Aprender a gerenciar os pensamentos perturbadores e a proteger a emoção faz toda a diferença para você controlar o estresse e atingir o ponto de equilíbrio.

Entretanto, saiba que você, eu ou qualquer outro ser humano jamais seremos plenamente equilibrados. Até porque cada pensamento se organiza, experimenta o caos e se reorganiza em outros pensamentos, o que evidencia que o psiquismo humano está em constante "desequilíbrio" no processo construtivo. Tal desequilíbrio é normal.

Mas uma coisa é o "desequilíbrio do processo construtivo" dos pensamentos e emoções; outra é o "*desequilíbrio do gerenciamento do Eu*" das nossas reações, atitudes, respostas. Este último é doentio, expressa as inabilidades do Eu como gestor psíquico.

Mas, com base em minhas pesquisas sobre a mente humana por décadas e na atuação em mais de 20 mil sessões de psicoterapia e consultas psiquiátricas, afirmo que todos temos desequilíbrios do gerenciamento do Eu.

Por quê? Por causa das armadilhas existentes nos bastidores da mente, das *janelas killer* ou *traumáticas* que desenvolvemos ao longo da vida e, em especial, porque nosso Eu não é educado da pré-escola à universidade para gerir a psique. Nosso Eu, que representa a consciência crítica e a capacidade de escolha, é formado de maneira frágil, insegura, reativa (reage pelo fenômeno "bateu-levou"), sem ter habilidade para proteger a memória e a emoção. Por isso, a pessoa mais calma terá seus momentos de estresse angustiante, o ser humano mais coerente terá em alguns momentos reações estúpidas que deixarão seus íntimos perplexos.

Como está o controle de suas tensões? Você é plenamente equilibrado(a)?

Todos experimentamos desequilíbrios, é certo. Mas quero deixar bem claro que pessoas excessivamente desequilibradas – portanto, impulsivas, flutuantes, punitivas, autopunitivas, cobradoras, autocobradoras – são causadoras de desastres sociais na família, na escola, na empresa. Elas se tornam fonte de estresse para si e para os outros.

Recentemente, ao dar conferências para um público formado por cerca de 5 mil professores, psicólogos e profissionais liberais, perguntei: Quem cobra demais dos outros? Cerca de 20% a 30% dos participantes levantaram a mão. Depois, como sempre faço, perguntei: Quem cobra demais de si mesmo? E, infelizmente, a resposta é sempre a mesma em todos os lugares em que dou conferências, dos Estados Unidos da América à Colômbia, da Espanha aos Emirados Árabes Unidos. Mais de 60% levantaram a mão. São profissionais eficientes, mas, mais uma vez afirmo, carrascos de si mesmos. Quem cobra demais de si é um autossabotador, pois aumenta os níveis de exigência para ser feliz, realizado, relaxado. Comete um crime contra sua qualidade de vida.

Você é um(a) autossabotador(a) da tranquilidade e da felicidade? Você comete esse crime?

O fenômeno do *autofluxo*: a fonte de entretenimento

Autofluxo é um fenômeno inconsciente de vital importância para o psiquismo humano.

O Eu faz uma leitura lógica, dirigida e programada da memória, ainda que incoerente e destituída de profundidade. Já a leitura do *autofluxo* é diferente. Ele faz uma varredura inconsciente, aleatória, não programada dos mais diversos campos da memória, produzindo pensamentos, imagens mentais, ideias, fantasias, desejos e emoções no teatro psíquico. Cria os pensamentos que nos distraem, imagens mentais que nos animam, emoções que nos fazem sonhar. Leva-nos a ser viajantes sem compromisso com o ponto de partida, a trajetória e o ponto de chegada.

Todos somos viajantes no universo da mente, por causa não do Eu, mas do fenômeno do *autofluxo*. Diariamente, cada ser humano ganha vários "bilhetes do fenômeno do *autofluxo*" para viajar pelos pensamentos, pelas fantasias, pelo passado, pelo futuro.

Quantas vezes nosso Eu fica surpreso com a criatividade de nossa mente! O responsável? O fenômeno do *autofluxo*, que mantém vivo o fluxo das construções intelecto-emocionais a cada momento existencial. Um presidiário pode ter o corpo confinado atrás das grades, mas sua mente está livre para pensar, fantasiar, sonhar, imaginar. Sem esse fenômeno, os presidiários se suicidariam coletivamente.

O fenômeno do *autofluxo* pode causar problemas, mas sem ele morreríamos de tédio, solidão, angústia existencial, teríamos depressão coletiva. A meta fundamental desse fenômeno inconsciente é ser a maior fonte de entretenimento humano.

Se o *autofluxo* não for adequadamente livre e criativo ao longo da vida, a pessoa será triste, mesmo tendo todos os motivos para ser feliz. Será pessimista, mórbida, ingrata, chafurdará na lama das reclamações, mesmo com todas as razões para agradecer por seu sucesso, família, amigos.

Educadores que cobram excessivamente dos filhos e dos alunos, que os comparam, punem, criticam, podem gerar pessoas que nunca se sentirão realizadas.

Mentes agitadas

Nunca a mente humana esteve tão estressada quanto na atualidade. Alguns têm uma mente tão agitada que não se concentram e têm déficit de memória. Não prestam atenção quando estão lendo um livro (parece que não gravam nada da leitura) ou ouvindo alguém (ficam minutos em outro mundo). Excitaram tanto o fenômeno do *autofluxo* que desenvolveram, como estudaremos, a Síndrome do Pensamento Acelerado (SPA). Suas mentes são hiperpensantes, inquietas, preocupadas.

Você gasta grande parte do tempo envolvido(a) com o mundo dos seus pensamentos?

Na atualidade, o *autofluxo*, que deveria ser uma fonte de entretenimento, tornou-se a maior fonte de ansiedade e terrorismo psicológico. Se não aprendermos a gerenciar a produção de pensamentos, poderemos viver a pior prisão do mundo em nossa mente.

Capítulo

2

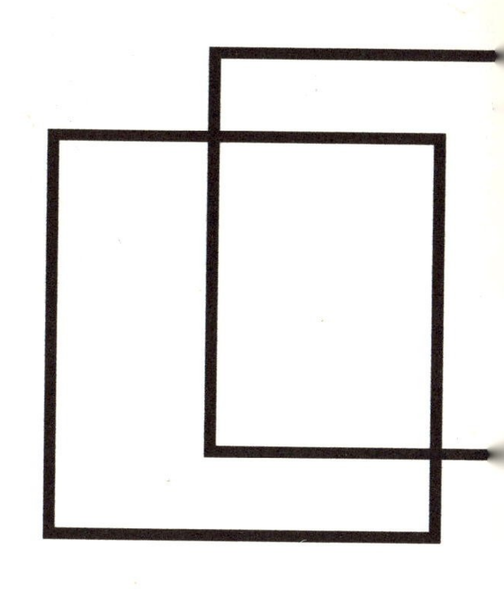

As janelas da memória e o estresse causado pela aceleração do pensamento

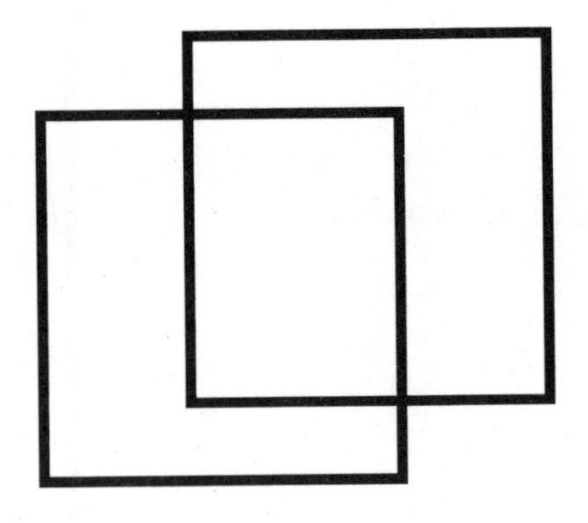

As *janelas da memória* são territórios de leitura num determinado momento existencial. Nos computadores, temos acesso a todos os campos da memória. Na memória humana, os dados são arquivados em áreas específicas – as janelas –, as quais requerem variadas "chaves" para serem acessadas.

Nosso grande desafio é abrir o máximo de janelas num foco de tensão; mas, infelizmente, podemos fechá-las e reagir instintivamente, como animais irracionais – e, desse modo, ser vítimas de raiva, ciúme, fobia, compulsão, necessidade neurótica de poder e dependência.

As *janelas da memória* representam regiões da memória em que o Eu, o *gatilho* e o *autofluxo* podem se ancorar para construir pensamentos. Há três tipos de janela:

- ***Neutras***: Correspondem a mais de 90% de todas as áreas da memória. Elas contêm bilhões de informações *neutras*, sem conteúdo emocional, tais como números, endereços, telefones, informações escolares, dados corriqueiros, conhecimentos profissionais.

- ***Killer***: Correspondem a todas as áreas traumáticas que vivenciamos ao longo da vida e registram conteúdo emocional angustiante, fóbico, tenso, depressivo, compulsivo. *Killer* quer dizer assassino; portanto, são janelas que controlam, amordaçam, asfixiam a liderança do Eu. As *janelas killer* contêm frustrações, perdas, crises, traições, medos, rejeições, inseguranças, ódio e raiva.
- ***Light***: Correspondem a todas as áreas de leitura com conteúdo prazeroso, tranquilizador, sereno, lúcido, coerente. As *janelas light* "iluminam" o Eu, alicerçam sua maturidade, sua lucidez, sua coerência. Elas contêm experiências saudáveis, como apoios, superações, coragem, sensibilidade, capacidade de se colocar no lugar do outro, de pensar antes de agir, de amar, solidarizar-se, tolerar.

Técnicas ineficientes para aliviar o estresse

Parar de pensar, esquecer o problema, excluir desafetos, ir ao *shopping*, ver TV, tirar férias, sair do clima pesado ou "botar tudo para fora" são técnicas usadas comumente para aliviar o estresse. Mas são eficientes? Frequentemente, não. Algumas são até destrutivas. As pessoas que colocam "tudo para fora", que não guardam nada, que dizem que são sempre verdadeiras têm na realidade uma grande falta de autocontrole. Machucam os outros tentando se aliviar.

Tentar desviar a atenção ou se distrair para superar o estresse e os conflitos é a pérola das técnicas populares utilizadas pelo

As pessoas que colocam “tudo para fora“, que não guardam nada, que dizem que são sempre verdadeiras têm na realidade uma grande falta de autocontrole.

Eu. É a mais usada por chineses, coreanos, russos, europeus e norte-americanos. Mas reitero: tem baixo nível de eficiência. Infelizmente, milhões de pessoas que foram vítimas de *bullying*, sofreram perdas, traições e rejeições ou atravessaram crises depressivas e ansiosas tentaram usar essa técnica e falharam.

Há complexas causas básicas que justificam essa ineficiência. Vou citar uma: as *janelas killer duplo P*. Para compreendê-las, temos de penetrar em algumas áreas que estão no epicentro do funcionamento da mente. Algumas *janelas killer* ou *traumáticas* são tão poderosas que se tornam estruturais ou *duplo P*, ou seja, com *duplo* poder: de encarcerar o Eu e de expandir a própria janela ou a zona de conflito.

O poder de atração desse tipo de janela conduz à ancoragem ou à fixação do Eu.

Lembre-se de que, quando alguém nos ofende, rejeita ou humilha, não conseguimos parar de pensar na dor e no seu agente causador. A fixação do Eu é tão intensa que é ineficiente tentar se distrair ou se desviar do foco de tensão. E, quanto mais pensamos e nos angustiamos, mais o outro poder dessa janela se exerce, ou seja, mais o *fenômeno RAM* (registro automático da memória) registra tais pensamentos e angústias, expandindo o núcleo traumático da própria *janela killer duplo P*, adoecendo-nos.

Quando há uma *janela killer* ou *traumática* solitária, chamo-a de janela pontual ou puntiforme, que não chega a nos adoecer. Mas, quando uma *janela killer duplo P* expande seu núcleo estressante, forma-se uma zona de conflito que financia espontaneamente uma característica doentia da personalidade.

As pessoas expressam irritabilidade, impulsividade, afetividade, tolerância, ponderação ou radicalismo porque possuem uma plataforma de janelas. Para que nos leve a adoecer, um trauma tem de gerar uma zona de conflito, ter inúmeras *janelas killer* ao redor do núcleo de uma *janela killer duplo P*.

Assim, é fundamental o uso de técnicas mais eficientes, como o DCD (duvidar, criticar e determinar) e a *mesa-redonda do Eu*, que veremos adiante.

Um cérebro agitado e hiperpensante

A Teoria da Inteligência Multifocal demonstra que, sem os atores coadjuvantes, o Eu não se formaria. Não saberíamos quem somos, não teríamos identidade. Pois, antes de começar a ter consciência de si mesmo, o Eu precisa de milhões de pensamentos arquivados na memória nos primeiros anos de vida. Quem produz esses pensamentos? Os três atores coadjuvantes já citados: *gatilho da memória*, *autofluxo* e *janelas da memória*.

Entretanto, a produção de pensamentos pode tornar-se um grande vilão da qualidade de vida e da felicidade. Acredite: seus maiores inimigos não estão fora, mas dentro de você. Você pode se tornar o maior algoz de si mesmo(a).

Cuidado! Pensar é excelente, mas pensar demais e sem qualidade pode ser um grande problema. Vejamos como o pensamento pode transformar nossa vida num canteiro de estresse.

Nós não conseguimos parar de pensar. Quando não pensamos conscientemente, os outros três atores pensam sem desejarmos.

Mesmo o mais profundo relaxamento não paralisa completamente a produção de pensamentos, apenas a desacelera. Pensar é saudável; o problema é pensar excessivamente e com ansiedade. Infelizmente, nossa mente tem se tornado uma fonte de preocupações.

As pessoas vivem atormentadas com suas atividades. São mentes inquietas. Pensam nisso, pensam naquilo. Mal estão resolvendo um problema, outros dez aparecem no teatro da mente.

Ponha-se alerta! Seus pensamentos inquietantes geram ansiedade e estressam o cérebro. Eles aniquilam cientistas, abatem religiosos, destronam reis.

Muitas pessoas têm muitos motivos para sorrir, mas suas preocupações e ideias negativas as tornam ansiosas, irritadas e tristes. Não descansam. Vivem fatigadas. Às vezes, têm um caráter nobre, são especialistas em resolver problemas dos outros, mas não os seus. Não lideram seus pensamentos.

Não apenas o conteúdo ruim dos pensamentos é um problema que afeta a qualidade de vida, mas também a velocidade com que pensamos. Tudo se complica quando os pensamentos são acelerados. Mesmo se o conteúdo é positivo, o aceleramento gera um desgaste cerebral intenso, produzindo ansiedade e outros sintomas.

Uma das grandes descobertas da Teoria da Inteligência Multifocal é que a velocidade excessiva do pensamento provoca uma importante síndrome: a SPA (Síndrome do Pensamento Acelerado). Pensar com consciência crítica é bom, mas pensar demais é uma bomba contra a saúde psíquica.

Você tem essa bomba na mente? Se tem, é preciso desarmá-la. Quem pensa excessivamente, sem nenhum gerenciamento por parte do Eu, pode sofrer um desgaste cerebral altíssimo, que provoca alta carga de sintomas psicossomáticos.

Nós podemos acelerar tudo no mundo exterior com vantagens: os transportes, a automação industrial, a velocidade das informações nos computadores; mas nunca deveríamos acelerar a construção de pensamentos. Infelizmente, mexemos na caixa-preta da inteligência humana com grandes prejuízos e estressamos a mente em níveis perigosos.

Causas da SPA

Uma mente hiperpensante é uma das causas mais importantes do estresse cerebral.

A SPA pulverizou-se em todos os povos e culturas. Entre suas causas, podemos citar o excesso de informações (no passado, o número de dados dobrava em dois séculos; hoje, a cada ano), de preocupações, de trabalho intelectual, de uso de internet, de *smartphones* e *video games*. Essa avalanche de dados faz com que uma criança hoje tenha mais informação do que um adulto dos séculos passados. E todo esse *pool* de estímulos satura o cérebro e estimula doentiamente o fenômeno do *autofluxo* a acelerar o processo de construção de pensamentos numa velocidade nunca antes vista.

Pensar é excelente, mas pensar demais e sem qualidade pode ser um grande problema.

Consequências preocupantes

- Ansiedade, irritabilidade, consumismo e insatisfação crônica gerados pelo excesso de informação. Uma criança de 7 anos hoje tem provavelmente mais informação na memória do que os imperadores romanos que dominavam o mundo.
- Perda do prazer de aprender, que tem levado os professores a ser cada vez mais cozinheiros do conhecimento, preparando um alimento para uma plateia que tem pouco apetite.
- Morte precoce do tempo emocional. Vivemos o dobro do que as pessoas da Idade Média; hoje, porém, 80 anos passam emocionalmente tão rápido como 20 anos no passado.
- Infantilização da emoção. Muitos adultos de 30 ou 40 anos têm idade emocional de 15. Não têm resiliência, não sabem lidar minimamente com contrariedades, crises, críticas.

A ansiedade atinge pessoas das mais diversas idades e classes sociais. Por exemplo, recentemente dei uma conferência para 8 mil pessoas em Minas Gerais e outra para 500 mulheres empreendedoras de São Paulo. Fiz um teste sobre os níveis de ansiedade dos participantes. A grande maioria estava tão estressada, irritadiça, fatigada que deveria estar internada num hotel-fazenda, relaxando. Em todos os lugares em que dou conferências, da Romênia à Espanha, dos Estados Unidos da América à Colômbia, a incidência é igual.

O que é alarmante é que pediatras, psiquiatras, psicopedagogos e psicólogos estão confundindo a SPA com hiperatividade.

Há pouco tempo, falei para dezenas de jornalistas que esse erro de diagnóstico é trágico, levando à prescrição exagerada de ritalina e de outras drogas para controlar um problema que nós causamos nas crianças. Qual a solução? Incentivar atividades lúdicas, de contato com a natureza, de leitura de livros, de aprendizado de música, artes plásticas, artes cênicas, enfim, atividades contemplativas. Lembre-se de que pais e professores inteligentes formam sucessores, não herdeiros. A ansiedade doentia estressa o cérebro a tal ponto que compromete a capacidade de resposta, o autocontrole, promove a intolerância e gera sintomas psicossomáticos.

Mas não devemos nos esquecer de que existe uma ansiedade saudável que nos inspira, motiva, anima, encoraja a ter curiosidade e a andar por lugares nunca antes visitados.

10 sintomas da ansiedade doentia e estressante

1. Fadiga ao acordar;
2. Dores de cabeça;
3. Dores musculares;
4. Agitação mental e dificuldade de lidar com o tédio;
5. Baixo limiar para suportar frustrações;
6. Sofrimento por antecipação;
7. Flutuação emocional: tranquilo em um momento e com reações explosivas em outro;
8. Dificuldade de conviver com pessoas lentas;

9. Transtorno do sono;
10. Déficit de concentração e déficit de memória.

Um alerta: a Escola da Inteligência

Você sente que precisa desarmar a bomba do estresse causado pela SPA? Sofre por antecipação? Anda esquecido(a)? Sua paciência está no limite? Acorda com fadiga?

Nos cerca de 70 países em que publico meus livros, venho alertando sobre essa epidêmica síndrome. Mas ainda estamos dormindo. Todos os professores no mundo sabem, embora não entendam a causa, que, de 10 a 15 anos para cá, crianças e adolescentes estão cada vez mais agitados, inquietos, sem concentração, sem respeito uns pelos outros, sem prazer de aprender. A causa é a SPA.

Grande parte dos jovens e adultos acorda cansada porque gasta muita energia pensando, e o sono não consegue repor a energia na mesma velocidade. Então, o cérebro começa a produzir uma série de sintomas psicossomáticos. Mas eles não ouvem o corpo se manifestando.

Recentemente, fiquei muito preocupado e até abalado. Visitei uma escola particular modelo numa das capitais brasileiras. Para minha surpresa, na plateia havia não apenas pais e professores, mas também alunos da escola de 7 a 10 anos. Depois de minha exposição sobre a SPA, pedi que os adultos que tinham os sintomas dessa síndrome levantassem a mão. Aproveitei e perguntei também às crianças. E elas, mais sinceras, levantaram a mão. A maioria acordava cansada, tinha dores de cabeça, dores musculares, sono de má qualidade, déficit de memória. Elas só não levantaram a mão quando perguntei se tinham queda de cabelo. Todos os adultos ficaram chocados.

Felizmente, a escola havia acabado de aderir ao programa Escola da Inteligência (www.escoladainteligencia.com.br), que entra na grade curricular uma vez por semana, do ensino infantil ao médio, para educar a emoção, gerenciar o estresse, colocar-se no lugar dos outros, desenvolver o altruísmo, enfim, para promover as funções vitais da inteligência. Demorei mais de 15 anos para elaborar o programa e renunciei aos direitos autorais para que ele seja acessível às escolas do mundo todo, com o objetivo de contribuir para formar mentes livres e emoções saudáveis.

Déficit de memória, dores de cabeça e fadiga ao acordar são clamores positivos do cérebro nos avisando que a luz vermelha acendeu, que estamos destituídos de qualidade de vida. Mas também não ouvimos esse grito. O esquecimento corriqueiro é uma proteção cerebral, bloqueando *janelas da memória* com o objetivo de diminuir nossa agitação mental, de pensarmos menos.

De que adianta ser o mais rico de um cemitério? De que adianta ser o mais eficiente profissional no leito de um hospital? De que adianta ser uma máquina de trabalhar se perdemos as pessoas que mais amamos, se não temos tempo para elas? De que adianta ter uma cama confortável se não sabemos dormir noites maravilhosas?

O esquecimento corriqueiro é uma proteção cerebral, bloqueando janelas da memória com o objetivo de diminuir nossa agitação mental, de pensarmos menos.

A SPA como causa da explosão do uso de drogas

Por não terem desvendado a última fronteira da ciência – o processo de construção de pensamentos –, muitos cientistas, psicólogos e educadores em todo o mundo não entendem que uma das principais causas da explosão do uso de drogas na atualidade são os altos níveis de insatisfação e ansiedade gerados pela SPA.

Jovens dominados por essa síndrome ficam vulneráveis a experimentar drogas, têm os freios sociais reduzidos. Se não têm um Eu bem-formado, se não têm autonomia, ou seja, se não têm opinião própria, podem estar mais predispostos à pressão dos amigos e ao sentimento de exclusão social. Procuram os efeitos das drogas para participar do grupo, para aliviar a insatisfação, a ansiedade e a angústia geradas por uma mente estressada.

Esquecem ou desconhecem, entretanto, que essa pode ser a porta de entrada para uma masmorra psíquica. E quanto mais usam drogas, mais hiperaceleram os pensamentos, mais aumentam a ansiedade, mais expandem a insatisfação e mais procuram as drogas, desenvolvendo outra síndrome: a CiFe (*Síndrome do Circuito Fechado da Memória*) psicoadaptativa. Essa síndrome produz o cárcere da memória, vicia o processo de leitura dos dados num pequeno círculo ou área. A dependência se instala quando o circuito da memória se fecha.

Na adolescência, o Eu deveria estar razoavelmente formado para gerenciar os pensamentos, relaxar, não sofrer por antecipação, não se angustiar por ideias perturbadoras nem cobrar demais de si e dos outros. Na vida adulta, o Eu deveria estar estruturado a ponto de assumir plenamente a capacidade de liderança da mente, o que, infelizmente, não ocorre.

Numa escala de 0 a 10, que nota você daria para a formação do seu Eu? Ele é um bom gerente dos seus pensamentos ou sua mente é uma lata de entulho?

Um Eu maduro tem consciência de que a produção de um pequeno pensamento representa um fenômeno tão complexo que milhões de computadores interligados jamais conseguirão realizar. Sabe que os computadores nunca terão a consciência da existência, estarão sempre mortos para si mesmos. Jamais sentirão culpa, medo, ansiedade, júbilo, desejo de mudar as suas rotas.

Como administrar o estresse

Muitos vivem em função dos problemas do passado. Alguns remoem seus erros, suas falhas, suas inseguranças e se culpam intensamente. Como já comentei, a culpa controla o prazer de viver e a liberdade dessas pessoas. Elas perdoam os outros, mas, mesmo crendo em Deus, não se perdoam. O sentimento de culpa é útil para reconhecermos os erros, não para nos martirizarmos e nos deprimirmos.

O pensamento antecipatório é outro grande ladrão da qualidade de vida. Geralmente, quem tem a SPA "faz o velório" antes do tempo. Os problemas ainda não aconteceram, mas a pessoa sofre antecipadamente. Provavelmente, mais de 90% dos nossos pensamentos antecipatórios não se tornarão reais. Sofremos inutilmente.

Jovens se martirizam pela prova que farão; mães, por imaginar que suas crianças usarão drogas; executivos, por fantasiar a perda do emprego; adultos, por criar doenças que não possuem.

A técnica do DCD (duvidar, criticar, determinar)

Essa excelente técnica para gerenciar os pensamentos constitui-se de três pilares que são as pérolas da inteligência humana: a "arte de duvidar" é o princípio da sabedoria na filosofia; a "arte de criticar" é o princípio da sabedoria na psicologia; e a "arte da determinação estratégica" é o princípio da sabedoria na área de recursos humanos. A técnica do DCD deve ser aplicada no silêncio da mente várias vezes por dia, com emoção e coragem. Você deve, a cada momento, duvidar de tudo o que o(a) controla, criticar todo pensamento perturbador e determinar estrategicamente aonde quer chegar.

Duvide de todas as suas falsas crenças. Duvide de que não consiga superar seus conflitos, suas dificuldades, seus desafios, seus medos, sua dependência. Duvide de que não consiga ser autêntico(a), transparente e honesto(a) consigo mesmo(a). Duvide de que não consiga ser livre nem autor(a) da própria história. Duvide de que não consiga brilhar como pai/mãe, ser humano e profissional. Lembre-se de que tudo aquilo em que você crê o(a) controla. Se não duvidar frequentemente das suas falsas crenças, elas escravizarão você e, como estudaremos, você não conseguirá reeditar o filme do inconsciente.

Critique cada ideia pessimista, cada preocupação excessiva e cada pensamento angustiante. Jamais se esqueça de que cada pensamento negativo deve ser combatido pela arte da crítica. Seu Eu tem de deixar de ser passivo, tem de questionar a raiva, o ódio, a inveja. Critique a ansiedade, a agitação mental, a necessidade de estar em evidência social. Questione seu medo do futuro, de não ser aceito(a), de falhar. Após exercer a arte de duvidar e criticar no palco da mente, pratique o terceiro estágio da técnica: determine estrategicamente ser livre, não ser escravo(a) dos seus conflitos. Entre desejar e determinar, há uma lacuna imensa. Não basta desejar; é preciso determinar com disciplina, mesmo que o mundo desabe sobre você. Determine lutar por seus sonhos, ter uma mente saudável e generosa. Decida continuamente ter um romance com a própria história e jamais se abandonar. Determine aprender todos os dias a agradecer mais e reclamar menos, a abraçar mais e julgar menos, a elogiar mais e condenar menos.

Aplique a técnica dezenas de vezes por dia, com muita garra e vontade de reorganizar e reescrever sua história, como se fosse o grito de liberdade de alguém que sai da condição de espectador passivo na plateia, entra no teatro da mente e proclama: "Eu escreverei o *script* da minha história!".

Entregue-se a ela com tanta emoção quanto a de um advogado de defesa para proteger seu cliente de ser condenado e encarcerado. Você deve impugnar e confrontar suas mazelas psíquicas e discordar delas.

Mas não se esqueça de que determinar ser livre só tem efeito se primeiro você treinar a arte de duvidar e criticar. Caso contrário, a arte de determinar se tornará uma técnica de motivação superficial que não suportará o calor dos problemas da segunda-feira.

A técnica do DCD pode reeditar as *janelas killer* e oxigenar o centro da memória. Assim como se faz higiene bucal e corporal diariamente, ela deve ser feita com a mesma constância para realizar uma higiene mental, ou melhor, para reeditar as *janelas da memória* e fundamentar o Eu como gerenciador psíquico nos focos de tensão. Não basta desejar ser livre. É necessário construir a liberdade.

O Mestre dos mestres em desestressar o cérebro

As habilidades intelectuais de Jesus abalaram a ciência moderna não pela sua espiritualidade, mas pela sua exímia capacidade de gerenciar os próprios pensamentos. Os estímulos estressantes e as pressões sociais que ele viveu desde a infância poderiam tê-lo transformado numa pessoa irritada, impulsiva, sem controle das reações, mas sua mente era calma como uma lagoa plácida. O Mestre dos mestres era tão tranquilo que talvez tenha sido o único na história a ter coragem de convidar as pessoas a beber da fonte de sua tranquilidade. Somente alguém que seja líder dos seus pensamentos pode ser tão sereno.

Toda pessoa que é marionete das suas ideias negativas vive como um mar agitado. Acena para a tranquilidade de longe, mas não consegue nem sentir seu aroma.

O Mestre da vida sabia quando e como iria morrer. Como ele sabia disso? Não sabemos. Além disso, esse assunto entra na esfera da fé e, portanto, a ciência silencia. Entretanto, na investigação científica, podemos dizer que mesmo essa fonte de estímulos estressantes não desgastou sua energia cerebral nem debilitou seu corpo físico. Por quê? Porque ele tinha consciência do amanhã, mas não gravitava em torno dele. Ele até nos vacinou contra a SPA, dizendo: "Basta a cada dia seu próprio mal". Ele se recusava a acelerar seu pensamento e a sofrer por antecipação. Seu Eu era o ator principal no teatro da sua mente. Ele vivia o presente.

Ele governava seus pensamentos, criticava silenciosamente as ideias que lhe assaltavam a paz. Só admitia pensar nos problemas futuros o suficiente para tomar consciência deles e se preparar para superá-los. Ele determinava viver apenas os problemas reais do presente.

Um Mestre em formar líderes

O homem Jesus ensinou pessoas complicadas a ser uma fina estirpe de pensadores. Por meio das suas parábolas e das situações estressantes em que se envolvia, ele sabiamente estimulava seus discípulos a penetrar em seu mundo interno para ser líderes de si mesmos, líderes de suas ideias, de seus medos, arrogâncias e inseguranças.

Se analisarmos com os olhos da psicologia suas quatro biografias, veremos que ele bombardeava de perguntas as pessoas que o circundavam. Por quê? Porque almejava que elas abrissem o leque da inteligência, pensassem antes de reagir, se questionassem, criticassem suas ideias e governassem sua psique.

Como professor, foi, sem dúvida, o maior formador de pensadores de que se tem notícia.

Capítulo

3

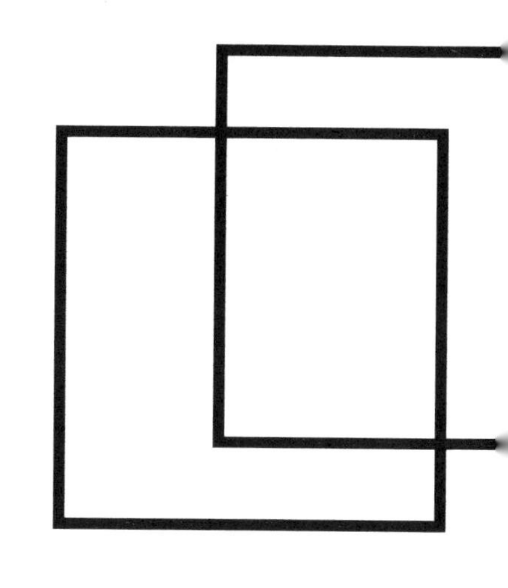

O Eu pode estressar o cérebro ou protegê-lo

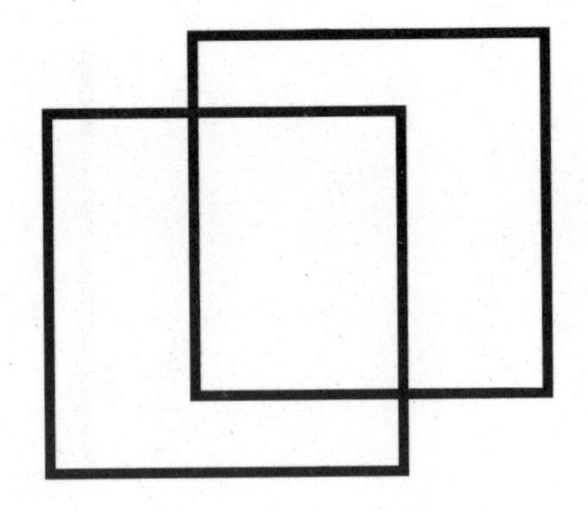

Os diversos tipos de Eu doente

O Eu doente é lento para perceber os milhares de luzes vermelhas no painel da saúde psíquica e do estresse cerebral. Somos incoerentes no único lugar em que deveríamos ser marcadamente inteligentes e saudáveis: dentro de nós.

As escolas secundárias e as universidades preparam os alunos para aprender matemática, mas não preparam o Eu de cada um deles para conhecer a matemática das relações sociais, em que, por exemplo, dividir é aumentar.

Na matemática numérica, toda divisão diminui os números, mas nas relações sociais ocorre o contrário. Alunos que não aprendem a dividir sua atenção, sentimentos, tempo e respeito desenvolvem não apenas um estresse cerebral que não se resolve, mas também um Eu egocêntrico, individualista, que não sabe nem trabalhar em equipe, nem se preocupar com as angústias dos outros.

Na matemática numérica, toda divisão diminui os números, mas nas relações sociais ocorre o contrário.

Professores que só sabem transmitir informações, mas não conseguem dividir momentos importantes da própria história com os alunos, estão aptos a programar computadores, mas não a formar pensadores afetivos, altruístas, generosos e que preservam o cérebro de um estresse doentio. Como digo no livro *Pais inteligentes formam sucessores, não herdeiros*, esse tipo de educação forma herdeiros imediatistas, gastadores irresponsáveis, que não sabem construir seu legado. Além disso, tais professores também estressam o próprio cérebro, pois ensinam sem tempero, sem encantar, sem emoção.

Crianças e adolescentes que não aprendem a dividir suas roupas e outros objetos com os irmãos ou amigos poderão pautar sua personalidade por disputas irracionais no futuro, não beberão das águas da tranquilidade e da solidariedade. Quem é individualista estressa seu cérebro e o dos seus íntimos. Um Eu superficial tem mais possibilidade de educar um Eu superficial. Um Eu doente tem mais chance de formar um Eu também doente.

Que educação é essa que ensina a física, a lei da ação-reação, mas não a bela física da emoção, mediante a qual jamais deveríamos viver pelo binômio "bateu-levou"? Um Eu despreparado para ser líder de sua mente não sabe que uma pequena ação, como um olhar de desprezo ou um apelido pejorativo, como chamar alguém de "feio" ou "gordo", pode plantar *janelas killer* com alto poder de atração, agregar outras janelas e levar à formação de uma plataforma, que financiará características de personalidade doentias, como ódio, violência, autorrejeição e timidez.

Um Eu superficial
tem mais possibilidade
de educar um
Eu superficial.
Um Eu doente tem
mais chance de formar
um Eu também doente.

Que educação é essa que ensina línguas para nos comunicarmos com o mundo, mas não ensina o Eu a se comunicar com os medos, manias e preocupações tolas produzidos frequentemente em nossas mentes?

Não faz muito tempo, dei uma conferência para professores de medicina, cuja universidade adota meus livros na formação acadêmica. Disse-lhes que devemos formar médicos que conheçam minimamente o funcionamento da mente e que desenvolvam um Eu capaz de proteger a emoção deles e de seus pacientes.

Como os pacientes estão frequentemente fragilizados e dominados por preocupações perturbadoras, as reações dos médicos têm grande eco intrapsíquico. Distribuir elogios e dar apoio, esperança e atenção pode plantar *janelas light* e estimular a cooperação dos pacientes em auxiliar na recuperação, mas atitudes de frieza, indiferença e rispidez podem, ao contrário, plantar *janelas killer* no córtex cerebral deles, prejudicando a luta pela vida.

O Eu engenheiro

O Eu saudável deve ser um engenheiro de *janelas light*, um protetor da memória, um agente que abranda o estresse cerebral. Mas nosso Eu é líder de si mesmo?

Nossa carga genética, o ambiente intrauterino, as relações familiares e o sistema educacional contribuem para a formação de milhares de janelas com milhões de experiências. Entretanto, durante o processo de formação da personalidade, à medida que a criança começa a determinar o que quer, o Eu deveria começar a proteger sua emoção, a filtrar estímulos estressantes e a fazer suas escolhas.

Durante a adolescência, o Eu deveria proteger a memória com a técnica do DCD, bem como ter brilhantes habilidades para deixar de ser vítima dos conflitos psíquicos e sociais e até das influências genéticas e passar a ser protagonista da própria história.

Na vida adulta, o Eu deveria ser um eficiente arquiteto de sua história. Deveria ter consciência dos seus papéis e exercê-los com maturidade. Ninguém poderá fazer essa tarefa pelo Eu. No máximo, poderá receber ajuda de um psiquiatra ou psicoterapeuta. Assim como, no máximo, poderá ser influenciado por pais, professores, amigos, filósofos, religiosos, livros e informações.

Um "Eu coitadista", com pena de si mesmo, estéril, que se acha azarado, incapaz de mudar seu *status quo*, ou um "Eu conformista", acomodado, que vive na lama do continuísmo, que não se arrisca a andar por lugares nunca antes percorridos, viverá no cárcere do tédio, não será um engenheiro da própria história.

Seu Eu é um engenheiro da própria história ou um servo que se submete às ordens dos conflitos e da preocupação excessiva com a imagem social?

Um Eu engenheiro determinará seu futuro emocional, seu sucesso em produzir relações saudáveis e até sua eficiência em

Gerenciar os pensamentos é ser livre para pensar, e não escravo(a) dos pensamentos.

libertar a criatividade. Infelizmente, somos hábeis em explorar jazidas de petróleo, de minérios, alguns também são especialistas em reivindicar seus direitos sociais, mas não em explorar seu psiquismo e reivindicar seus direitos intrapsíquicos: uma mente livre, uma emoção saudável, um intelecto relaxado, uma inteligência criativa.

Mas não adianta só usar os direitos garantidos pela Constituição de nosso país. O grande fiador desses direitos é a formação de um Eu autoconsciente, autocrítico, coerente, dosado, determinado e com níveis elevados de ousadia. Mas onde se encontra esse Eu? Onde ele é bem-formado? Em que microcosmo da sala de casa ele é nutrido, trabalhado, lapidado, equipado?

Não seria exagero dizer que, infelizmente, o Eu do ser humano moderno é frequentemente anoréxico, magérrimo, esquálido. Inclusive pessoas excessivamente críticas, que não têm papas na língua, que falam tudo o que vem à mente também têm um Eu desnutrido, que não sabe ter autocontrole. Vivem estressadas e estressando seus filhos, cônjuge, alunos, colegas de trabalho. Podem ser ótimas para criticar os outros, ousadas para falar o que pensam, mas infantis para se repensar e se proteger.

Gerenciar os pensamentos é ser livre para pensar, e não escravo(a) dos pensamentos.

O sentimento de culpa intenso assalta a mente, fecha o circuito da memória, produzindo autopunição, e não correção de rotas. A culpa dosada corrige rotas; a culpa intensa destrói os caminhos! A maior vingança contra um inimigo é compreender e perdoar, inclusive se perdoar.

Pensar com consciência é ótimo. Pensar demais e sem gerenciamento é uma bomba contra a saúde cerebral. Monitore a Síndrome do Pensamento Acelerado (SPA). Não seja uma máquina de trabalhar, de se preocupar, de infindáveis atividades. Exercite não sofrer por antecipação. Treine não ter uma mente agitada, ansiosa, irritadiça, que tem baixa tolerância às frustrações. Nunca se esqueça de que os fortes são pacientes, enquanto os frágeis não dão uma nova chance nem para si nem para os outros.

Recicle todos os dias as ideias perturbadoras, as fobias, o sentimento de incapacidade, a preocupação excessiva com o que os outros pensam e falam de você.

Tenha consciência dos atores coadjuvantes no teatro da mente que constroem pensamentos, mas não os deixe dominar o palco, controlar seu Eu. Para encontrar seu ponto satisfatório de equilíbrio mental e emocional, é necessário treinamento.

Mas lembre-se sempre de que não existe equilíbrio perfeito nem pessoas perfeitas e, muito menos, cérebros sem estresse. O que existe são pessoas que sabem usar técnicas psicológicas e educacionais para equipar seu Eu para ser líder de si mesmo e para manter um caso de amor com sua qualidade de vida.

Como comento no livro *Petrus Logus*, uma aventura que tem cativado milhares de jovens, todo ser humano tem uma fera dentro de si.

Controlá-la é nosso grande desafio para encontrar o equilíbrio. Você domina a fera dentro de si como Petrus Logus?

Pensar com consciência é ótimo. Pensar demais e sem gerenciamento é uma bomba contra a saúde cerebral.

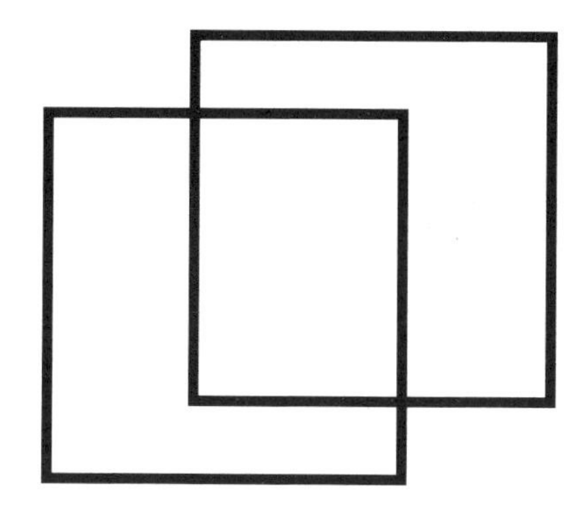

Referências

ADORNO, Theodor W. *Educação e emancipação*. Rio de Janeiro: Paz e Terra, 1971.

AYAN, Jordan. *AHA!* – 10 maneiras de libertar seu espírito criativo e encontrar grandes ideias. São Paulo: Negócio, 2001.

BAYMA-FREIRE, Hilda A.; ROAZZI, Antônio. *O ensino público é um desafio para todos*: encontros e desencontros no ensino fundamental brasileiro. Recife: UFPE, 2012.

CAPRA, Fritjof. *A ciência de Leonardo da Vinci*. São Paulo: Cultrix, 2008.

CHAUI, Marilena. *Convite à filosofia*. São Paulo: Ática, 2000.

CURY, Augusto. *O código da inteligência*. Rio de Janeiro: Ediouro, 2009.

CURY, Augusto. *Pais brilhantes, professores fascinantes.* Rio de Janeiro: Sextante, 2003.

______. *Inteligência multifocal.* São Paulo: Cultrix, 1999.

______. *A fascinante construção do Eu.* São Paulo: Planeta, 2012.

DESCARTES, René. *O discurso do método.* Brasília: UnB, 1981.

DOREN, Charles Van. *A history of knowledge.* New York: Random House, 1991.

FOUCAULT, Michel. *A doença e a existência.* Rio de Janeiro: Folha Carioca, 1998.

FREUD, Sigmund. *Obras completas.* Madri: Editorial Biblioteca Nueva, 1972.

FROMM, Erich. *Análise do homem.* Rio de Janeiro: Zahar, 1960.

GARDNER, Howard. *Inteligências múltiplas*: a teoria na prática. Porto Alegre: Artes Médicas, 1994.

GOLEMAN, Daniel. *Inteligência emocional.* Rio de Janeiro: Objetiva, 1995.

HALL, Calvin S.; LINDZEY, Gardner. *Teorias da personalidade.* São Paulo: EPU, 1973.

HUBERMAN, Leo. *História da riqueza do homem.* Rio de Janeiro: Guanabara, 1986.

JUNG, Carl Gustav. *O desenvolvimento da personalidade.* Petrópolis: Vozes, 1961.

LIPMAN, Matthew. *O pensar na educação*. Petrópolis: Vozes, 1995.

MORIN, Edgar. *Os sete saberes necessários à educação do futuro*. São Paulo: Cortez, 2000.

PIAGET, Jean. *Biologia e conhecimento*. Petrópolis: Vozes, 1996.

SARTRE, Jean-Paul. *O ser e o nada*. Petrópolis: Vozes, 1997.

STEINER, Claude. *Educação emocional*. Rio de Janeiro: Objetiva, 1997.

YUNES, Maria Angela Mattar. *A questão triplamente controvertida da resiliência em famílias de baixa renda*. 2001. Tese (Doutorado em Psicologia da Educação) – Pontifícia Universidade Católica de São Paulo, São Paulo, 2001.

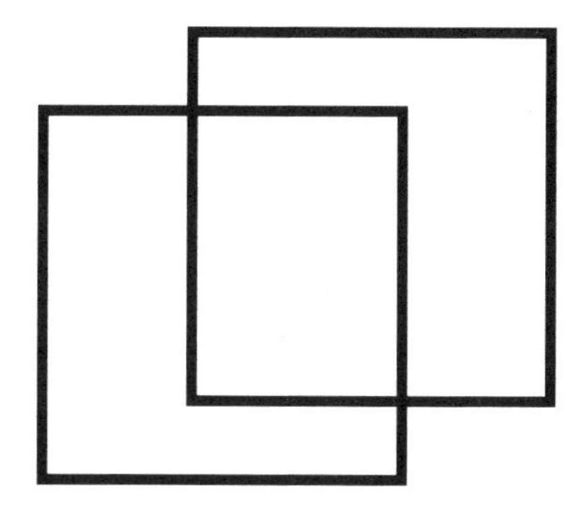

Sobre o autor

"A maior aventura de um ser humano é viajar, e a maior viagem que alguém pode empreender é para dentro de si mesmo. E o modo mais emocionante de realizá-la é ler um livro, pois um livro revela que a vida é o maior de todos os livros, mas é pouco útil para quem não souber ler nas entrelinhas e descobrir o que as palavras não disseram..."

Augusto Jorge Cury nasceu em Colina, estado de São Paulo, no dia 2 de outubro de 1958. É o psiquiatra mais lido no mundo atualmente, professor, escritor e palestrante brasileiro, autor da Teoria da Inteligência Multifocal. Formado em medicina pela Faculdade de Medicina de São José do Rio Preto, fez pós-graduação na Pontifícia Universidade Católica de São Paulo, PUC-SP, e concluiu seu doutorado internacional em Psicologia Multifocal pela Florida Christian University no ano de 2013, com a tese "Programa Freemind como ferramenta global para prevenção de transtornos psíquicos". Na carreira, dedicou-se à pesquisa sobre o processo de construção de pensamentos, formação do Eu, os papéis conscientes e inconscientes da memória, o programa de gestão de emoção e a lógica do conhecimento e o processo de interpretação.

Cury é professor de pós-graduação da Universidade de São Paulo, USP, e tem vários alunos mestrando e doutorando. É conferencista em congressos nacionais e internacionais. Foi conferencista no 13º Congresso Internacional sobre Intolerância e Discriminação da Universidade Brigham Young, nos Estados Unidos.

Considerado pelas revistas *IstoÉ* e *Veja*, pelo jornal *Folha de S.Paulo* e pelo instituto Nielsen o autor mais lido das últimas duas décadas no Brasil, seus livros já foram publicados em mais de setenta países e venderam mais de trinta milhões de exemplares apenas no Brasil.

No ano de 2009, recebeu o prêmio de melhor ficção do ano da Academia Chinesa de Literatura pelo livro *O vendedor de sonhos*, adaptado para o cinema em 2016, uma produção brasileira com direção de Jayme Monjardim.

O romance é considerado um *best-seller*, com milhões de cópias vendidas por todo o mundo. O filme se tornou também um sucesso de bilheteria e um dos mais visto da Netflix. O livro discorre, de maneira profunda, sobre os problemas emocionais e psicológicos e sobre as angústias da humanidade. Devido a todo o sucesso dessa obra, Cury escreveu duas sequências: *O vendedor de sonhos e a revolução dos anônimos* (2009) e *O semeador de ideias* (2010). Outros livros serão filmados, como *O futuro da humanidade* e *O homem mais inteligente da história*.

A Teoria da Inteligência Multifocal é uma das raras teorias sobre o processo de construção de pensamentos e adotada em algumas importantes universidades. Ela visa explicar o funcionamento da mente humana e as formas para exercer maior gerenciamento da emoção e do pensamento.

É criador da Escola da Inteligência, o maior programa mundial de educação socioemocional, com mais de 400 mil alunos, que promove desenvolvimento emocional de crianças, adolescentes e adultos. Elaborou o Programa Freemind, 100% gratuito, usado em centenas de instituições e clínicas, ambulatórios e escolas, para contribuir com o desenvolvimento de uma emoção saudável para a prevenção e o tratamento da dependência de drogas. Também é autor do Programa Você é Insubstituível, primeiro programa mundial de gestão da emoção para prevenção de transtornos emocionais e suicídios, 100% gratuito, adotado por muitas instituições, como a Polícia Federal e Associação de Magistrados do Brasil. E foi adotado mundialmente por uma nova rede social, a Gotchosen, que está disponível sem custos para todo ser humano de qualquer país! Entre na Gotchosen através do convite do Dr. Cury na bio dele do Instagram!